De la Oscuridad a la Luz

Isabella Murphy

pink umbrella books

PHOENIX, AZ

ISBN: 9781949598001

Publicado por Pink Umbrella Books (www.pinkumbrellapublishing.com)

Isabella Murphy- author

De la Oscuridad a la Luz/ Isabella Murphy.

El viaje de una calabaza cuando pasa de una pequeña semilla blanca a una Jack O 'Lantern tallada.

ISBN :

Ilustraciones de Natalia Pérez

Ilustraciones © 2017 Natalia Pérez

Diseño de la cubierta por Natalia Pérez

Retrato de portada por Heidi Alletzhauser

De la Oscuridad a la Luz

La esposa del anciano Sr. Hernández cava un hoyo en la tierra húmeda de su granja, y me coloca en el gentilmente. Cuando ella empieza a cerrar mi espacio de luz y felicidad me llené de miedo. Ahora un mundo de oscuridad me rodea. Me siento como atrapado en una cueva. No puedo respirar. Quisiera poder ver los pájaros volando. Quiero ser libre como ellos.

Comencé como una semilla blanca delgada. No hay nada especial sobre mí, solo soy una calabaza sencilla, aburrida y ordinaria.

Estoy sembrado junto a mis hermanas Calabaziosa y Calabazina. Realmente no tenemos nada en común. Ellas no se preocupan por mí, ya que son niñas y yo soy un niño calabaza. Mi nombre es Calabazín, que significa "bicho raro" en nuestro lenguage secreto de calabaza.

Calabaziosa le guiñe el ojo a Calabazina y le dice, "Snailnah, blah, blah."

"Creepunah, blah, blah," le contesta Calabazina.

"¿Que significa eso?' les preguntè. Ambas sonrieron señalándome. No entiendo sus bromas.

Estoy solo en la cueva oscura. Lo único enfrente de mí es una pared de tierra, un gusano viscoso, y raíces gruesas de árboles. Yo me hice a un lado. La tierra grumosa toca mi espalda, y sé que no tengo a donde ir.

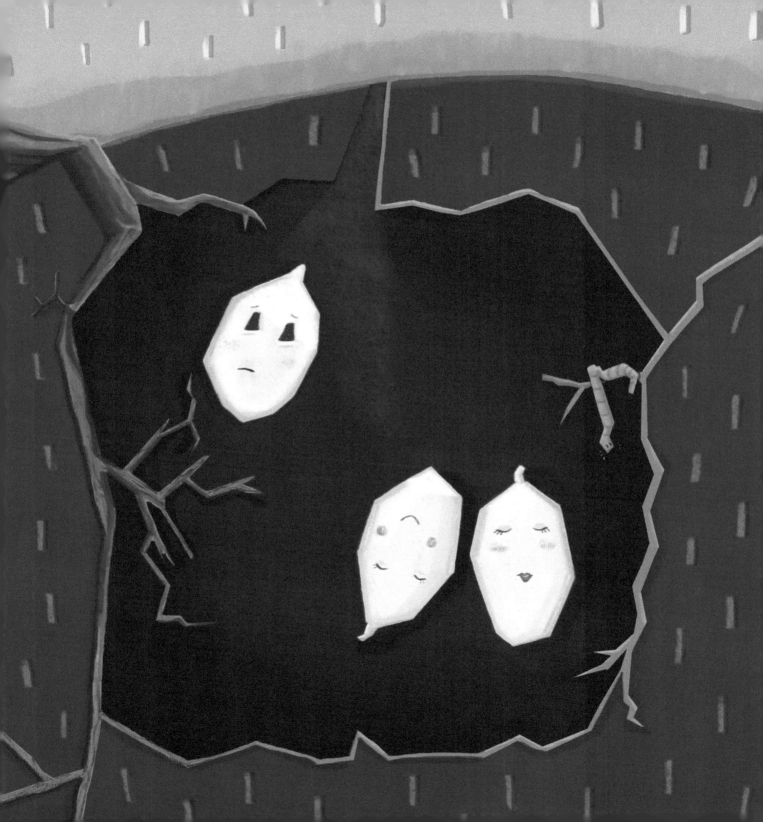

No sé cuánto tiempo pasa—todos los días es lo mismo. Pero un día desperté y noté algo diferente. Luz penetra mis ojos.

Mientras intento ver a través de la luz, veo rizos verdes brotando de mis brazos. Y cuando veo hacia la derecha, puedo ver las caras de mis dos hermanas que también salen de la oscuridad. Sus ojos brillan con asombro al mirar el mundo que las rodea.

Pasa más tiempo, y mientras, yo sigo creciendo. Calabaziosa y Calabazina me ignoran aún más mientras se ríen y se muestran sus rizos verdes. Me estoy aburriendo un poco. Esto es lo que he deseado por tanto tiempo, salir a la luz del sol. Pero ahora quiero algo diferente. Algo maravilloso.

Quiero ser amado por una familia.

Este Halloween me escogerá un niño o niña para hacerlos reír de alguna manera. No sé que encontraré pero espero derramar lágrimas de gozo.

Ya no puedo esperar a que un niño me escoja, y puedo ver que mis hermanas también están ansiosas. Por primera vez se han olvidado de sus rizos y se han enfocado en la emoción que llena el aire. Nos reímos juntos. Es tan agradable tener con quien hablar.

Estoy a punto de ser una calabaza grande. Solo me faltan unas pocas pulgadas.

Hasta ahora mi vida ha estado llena de cambios. Cada día se pasa tan rápido. Veo hacia arriba y veo los árboles decorados con hojas de muchos colores. Una hoja cae suavemente hasta tocar el suelo. ¡El Día de Halloween está por llegar! Me pregunto como será estar en la casa de una familia.

¡Mañana! ¡Mañana! No puedo dejar de pensar en ese bello día cuando veré los rostros encantados de los niños. Ellos pasearán por el terreno de calabazas, arrastrando a sus padres, señalando a las diferentes calabazas.

Me acosté tarde anoche. No pude dejar de pensar en el terreno de calabazas. Al despertar, pude ver carros llegando al estacionamiento.

Más y más carros llegan. Veo a niños pequeños bajando la colina de tierra para escoger una calabaza. Detrás de ellos, sus padres bajan despacio.

Hay una pequeña niña que nos llama la atención a mis hermanas y a mi. Ella salta sobre las calabazas y grita con alegría. La veo acercándose a mí. Mis nervios se tensan y mi corazón late más rápido. Ella le dice a sus padres que le ayuden a levantarme a mí y a mis hermanas.

Nos colocan sobre la tierra seca mientras los padres pagan. La pequeña niña nos echa un vistazo de vez en cuando y nos sonríe con una sonrisa realmente grande, tan grande que podemos ver que le faltan algunos dientes.

Cuando sus padres terminaron de pagar, nos levantaron con firmeza. Voltie hacia atrás y vi al Sr. Hernández y a la Sra. Hernández guiñandome.

Es tan difícil para mí pensar que ahora estoy con una familia listo para ser amado. Y la mejor parte es que tengo a Calabaziosa y a Calabazina conmigo. Sonreí y una lágrima cayó sobre mi rostro.

Miré por la ventana del carro. Las vistas del campo son increíbles. Veo árboles verdes en las montañas lejanas y hierbas amarillas detrás de la reja de hierro. También puedo sentir la ligera brisa del viento detrás de mí.

En ese momento, pienso en los pájaros volando sobre nosotros. Ellos probablemente también sienten la brisa. Soy un pájaro en este momento. Estoy en el paraíso.

El viaje parece largo pero yo disfruto de la ternura de la pequeña niña a mi lado. Ella continúa hablando y sonriendo con nosotros. Yo también sonrío, aunque me es difícil entender lo que ella está diciendo. Su vivacidad me interesa. Quisiera ser como ella.

Cuando llegamos a la cochera, vi tres calabazas iguales a nosotros en el jardín de otra familia. Puedo ver que las calabazas tienen sonrisas aterradoras, narices extrañas y ojos locos tallados en ellas. También puedo ver pequeñitas luces dentro de ellas, lo que las hace ver como un sol.

Los padres nos llevan adentro y nos colocan sobre su mesa. Encima de la mesa hay varios tipos de herramientas. La pequeña niña y su padre se sientan juntos. El padre agarra una herramienta y comienza a cortar mi tallo. Mientras él lo hace me emociono, porque voy a tener un rostro curioso como las otras calabazas en el jardín. Estar con una familia es aún más divertido de lo que me había imaginado.

Él corta un círculo alrededor de mi largo tallo esmeralda y toma otra herramienta. Esta herramienta parece cuchara. El raspa las semillas gentilmente y las coloca en un tazón. Él hace lo mismo con mis hermanas.

Luego, con una herramienta diferente comienza a tallar ojos en mí. Los ojos son redondos y tengo cejas tenebrosas. Calabaziosa tiene una nariz rechoncha y con una verruga encima. Puedo notar que a ella no le gusta por la mirada de desagrado en su cara. Y por último, y no menos importante, Calabazina tiene labios hinchados del tamaño de una calabaza miniatura.

Creo que ya no soy el único bicho raro de la familia.

Luego, la niña abre una caja llena de velas. Una por una la niña coloca una vela en el fondo de nuestro cuerpo de calabaza y se ríe. Volteo mi cabeza y veo a la madre poniendo nuestras semillas en un plato para secarlas al sol sobre el marco de la ventana. Estoy emocionado. ¡Esta es la mayor diversión que he tenido en toda mi vida!

La mamá, el papá y la pequeña niña nos levantan y nos colocan al lado de las otras tres calabazas en el jardín. Los dos adultos regresan a su hogar cálido y acogedor. Pero la pequeña niña se queda por un momento mirándonos a las seis de nosotras. Entonces ella sonríe y salta al entrar a su casa mientras yo estoy acostado con una gran sonrisa en mi rostro.

Estoy brillando cuando la noche comienza a caer.

El Fin

CPSIA information can be obtained
at www.ICGtesting.com
Printed in the USA
BVHW020445240919
559231BV00002B/9/P